Ffrindiau Bwni Bach

Ffrindiau Bwni Bach

Steve Smallman

Mae'r llyfr hwn yn eiddo i:

_____

_____

_____

GRAFFEG

Pan mae dy glustiau'n
mynnu mynd 'fflop',

dy gamau heb sbonc

a dy naid yn ddi-hop,

dy holl amynedd
wedi hen, hen fynd,

beth wyt ti ei angen?

Rwyt ti angen ...

... ffrind.

Un pitw fel pryfyn,
neu'n anferth fel cawr,
cei ffrindiau o bob siâp -
rhai bach a rhai mawr.

Dy ffrind fydd yr un
fydd wastad yn ffyddlon,
a phob tro ar gael
i roi cwtsh cysurlon.

Bydd yn gwmni pan fyddi

ar goll, wedi crwydro,

a phob tro'n barod
i eistedd a gwrando.

A phan mae bywyd
yn braf a bodlon,
wrth dy ffrindiau ffeind
cei rannu'r newyddion!

Cei rannu breuddwydion
â phob un ffrind da,

neu gwrdd â nhw

i fwynhau hufen iâ!

Bydd ffrind weithiau'n dwrdio

a dweud geiriau llym,

ond mae hefyd yn gwybod
pryd i beidio dweud dim.

Cei di fyth dy farnu
gan dy ffrindiau,
hyd yn oed os wyt ti'n
'wahanol' weithiau ...

Yn y cwmni bodlon
does dim angen bod yn hy,
gyda ffrind wrth dy ochr,
ti ydwyt ti!

A'r ffordd i gadw
pob ffrind, ar fy llw,

yw gofalu dy fod
yn ffrind da iddyn nhw!

Falle 'mod i'n un bach
ac yn 'wahanol' weithiau,
ond gwn ein bod ni ...

... yn ffrindiau gorau!

Steve Smallman

Mae Steve Smallman wedi bod yn ysgrifennu a darlunio llyfrau i blant am dros 40 mlynedd. Fe yw awdur *Smelly Peter the Great Pea Eater* (enillydd y Sheffield Children's Book Award yn 2009) a *The Lamb Who Came for Dinner* (gyrhaeddodd restr fer y Red House Children's Book Award a'i ddarllen gan Meatloaf ar Bookaboo CITV). Derbyniodd hefyd y Sheffield Children's Book Award eto yn 2019 am *Cock-a-Doodle Poo!*. Dechreuodd ddarlunio pan oedd yn fyfyriwr mewn coleg celf, yna, ar ôl ugain mlynedd, penderfynodd roi cynnig ar fod yn awdur. Hyd yn hyn mae wedi ysgrifennu dros 100 llyfr, ac mae mwy ar y gweill.

'Daeth y syniad am y llyfr hwn wrth i mi ddwdlan yn fy llyfr braslunio. Ro'n i'n rhoi cynnig ar dechneg wahanol yn defnyddio pensil meddal ar bapur o ansawdd garw. Heb feddwl rhyw lawer am yr hyn ro'n i'n ei wneud, daeth bwni gofidus mewn cwch i'r golwg ar y papur. Rhoddais y llun ar y cyfryngau cymdeithasol, ac roedd fel petai'r bwni'n taro tant â sawl un! Felly tynnais fwy o luniau o'r bwni, gan ddefnyddio gwahanol ystumiau wyneb ac ymhen dim roedd gen i gasgliad. Wrth eu rhoi at ei gilydd, roedd fel petai'r lluniau'n adlewyrchu taith emosiynol y bwni y gallai pobl uniaethu â hi. Ysgrifennais damaid o destun i helpu'r bwni ar ei daith, a gyda help Graffeg, crëwyd y llyfr!'

Meddyliau Bwni Bach

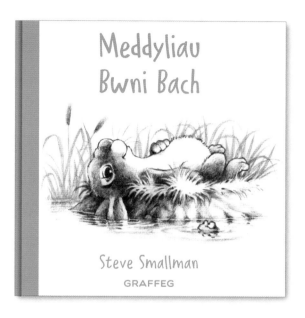

Pan mae popeth o chwith, ymuna â Bwni Bach am funud dawel a llonydd yn y llyfr hyfryd hwn.

Awdur Steve Smallman, Cyhoeddiad Tachwedd 2021
CC, 48pp, 150 x 150mm, £6.99, ISBN 9781802580099
Cyhoeddwyd gan Graffeg

Ffrindiau Bwni Bach
Cyhoeddwyd yn wreiddiol dan y teitl *Little Bunny's Book of Friends* gan Graffeg Cyf., 2021.

Ysgrifennwyd a darluniwyd gan Steve Smallman
hawlfraint © 2021.

Addasiad Cymraeg: Anwen Pierce.

Graffeg Cyf., 24 Canolfan Busnes Parc y Strade,
Heol Mwrwg, Llangennech, Llanelli,
Sir Gaerfyrddin SA14 8YP Cymru.
www.graffeg.com

Mae Steve Smallman yn cael ei gydnabod fel
awdur a darlunydd y gwaith hwn yn unol ag adran
77 o Ddeddf Hawlfraint, Dyluniadau a Phatentau
1988.

Mae cofnod catalog CIP ar gyfer y llyfr hwn ar
gael gan y Llyfrgell Brydeinig.

ISBN 9781802580532

1 2 3 4 5 6 7 8 9

MIX
Paper from
responsible sources
FSC® C014138
www.fsc.org